# Une saison inoubliable

Mônica Carnesi

**Traduit de l'anglais par Christine Mignot**

Titre original : *Sleepover with Beatrice & Bear*

This edition published by arrangement with **Nancy Paulsen Books**, an imprint of Penguin Young Readers Group, a division of Penguin Random House LLC.


ISBN : 978-2-87833-831-7
Imprimé en Pologne.
Dépôt légal : septembre 2016
Loi n° 49-956 du 16 juillet 1949
sur les publications destinées à la jeunesse

Pour Mark.

Clémentine et Ours se sont rencontrés
par un beau matin de printemps.

Leur histoire n'avait pas bien commencé.

Mais Clémentine et Ours
sont bientôt devenus
les meilleurs amis
du monde.

Ils s'amusèrent ensemble

pendant tout le printemps,

l'été et l'automne.

Mais un jour, Clémentine
ne trouva plus Ours.
Où était-il donc passé ?

« Ours est parti pour hiberner, lui expliqua l'écureuil.

– Hiberner, bien sûr ! répondit Clémentine. Je vais y aller aussi.
J'ai entendu dire que c'était magnifique en cette saison ! »
Mais…

Clémentine n'arrivait pas à trouver « Hiberner » sur la carte.

~~I Ber Nez~~
~~Hi Baie René~~
~~Hi Brrr Né~~

« Hiberner n'est pas un lieu, précisa l'écureuil.
C'est un long sommeil d'hiver.

– Un sommeil ?
demanda Clémentine.

Un peu comme une SOIRÉE PYJAMA ?

C'est encore mieux ! »

Et elle courut chez elle préparer sa valise.

Clémentine voulait à tout prix
rejoindre Ours au plus vite !

Il fut assez surpris.
« Vraiment ? Les lapins hibernent aussi ?

– Absolument ! répondit Clémentine.
Les lapins sont de GRANDS hibernants. »

Ils lurent des histoires, firent des dessins
et partagèrent un bon bol de lait chaud.

Puis ce fut l'heure d'aller dormir.
« Fais de beaux rêves, Clémentine », lui dit Ours.

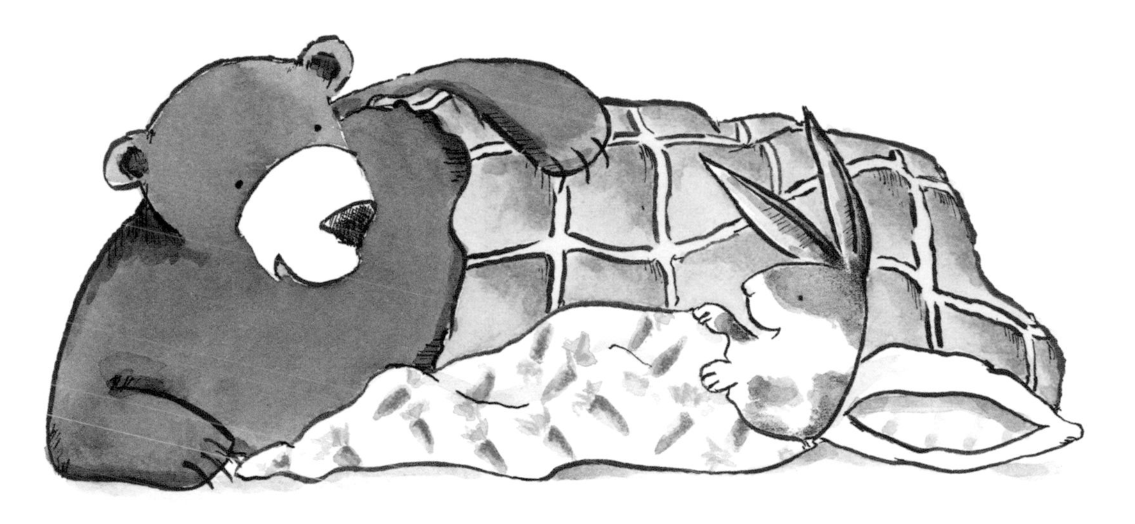

Et il s'endormit immédiatement.

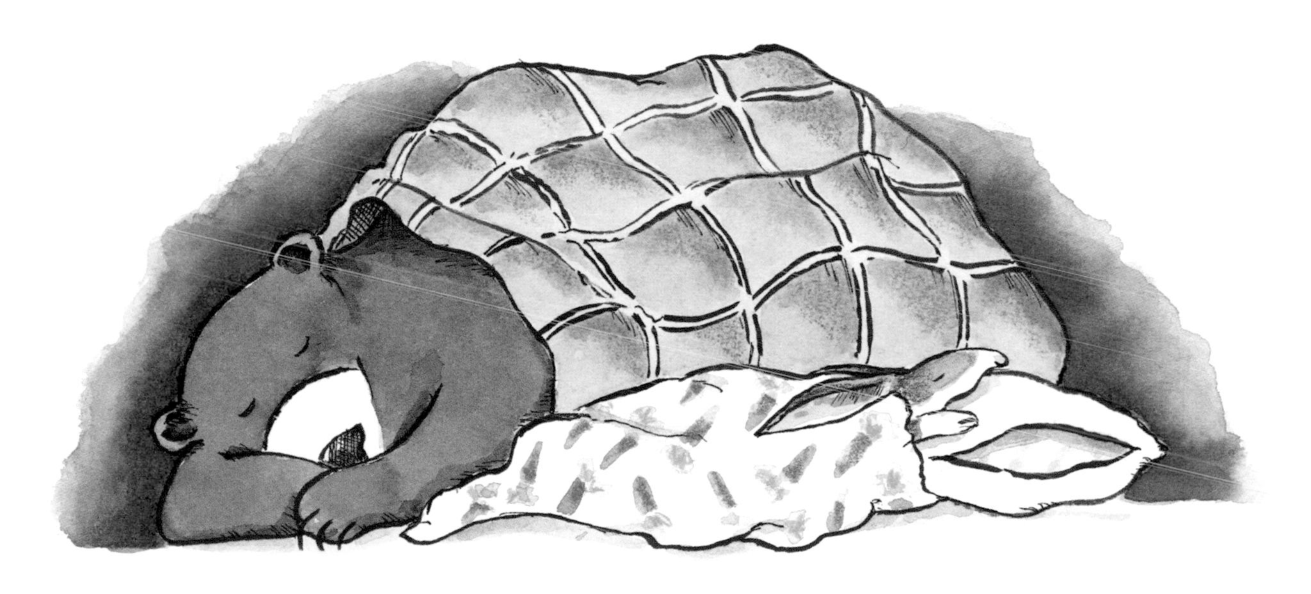

Clémentine se blottit sous sa couverture et ferma les yeux.
Mais…

… il ne se passa rien. Clémentine était complètement éveillée.

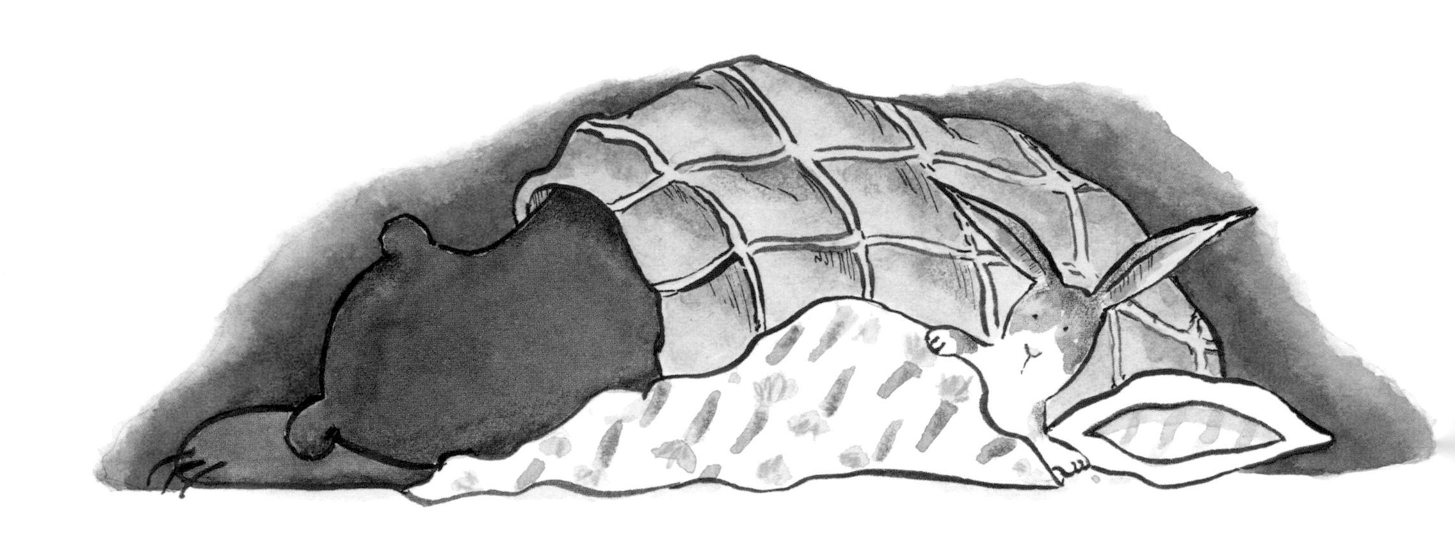

Elle essaya de lire une autre histoire.

Elle s'allongea sans bouger pour trouver le sommeil.

Mais rien n'y fit.
Clémentine n'arrivait pas à s'endormir.

« Peut-être que les lapins ne sont pas de grands hibernants, après tout », pensa-t-elle.

Cela voulait dire que Clémentine
ne pouvait pas passer l'hiver avec son meilleur ami.
Cela signifiait...

Clémentine se posa alors
des questions au sujet d'Ours.

Ours a-t-il déjà vu la neige tomber ?
Ou bien, construit un ours de neige ?

Clémentine eut alors une idée géniale.

clic !
clic !

clic !
clic !

Clémentine fut très occupée pendant tout l'hiver.

Et quand Ours se réveilla,
par un autre beau matin de printemps,
une surprise l'attendait.

# Le Grand Album des Plaisirs et Aventures de l'Hiver

Pour Ours. De la part de Clémentine.

Qui est-ce ?
Aiguilles de pin pour les oreilles !

# FLOCONS DE NEIGE !

Les flocons de neige ont la forme d'une étoile à six branches.

Je crois que j'ai mangé celui-ci...

## Patinage sur glace !

## Comment réaliser un ange-lapin

1. S'allonger dans la neige. (Tu seras mouillé !)
2. Écarter les bras.
3. Écarter les jambes.
4. Dresser les oreilles.
5. Et voilà !

Voici un dessin de mon ange-lapin.

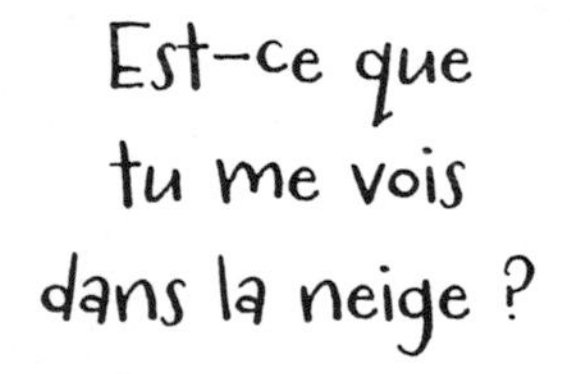
Est-ce que tu me vois dans la neige ?

Suis les traces de lapin !

C'était le plus merveilleux des cadeaux,
à lire et relire ensemble.